國立臺灣師範大學

「品德教育繪本結合鍵接圖識字教學」
計畫之實驗性教材

郭恩慈 張瓅勻 陳學志 著｜張育菁 郭順霖 繪

愛上學習 從閱讀開始

萬卷樓

編寫理念

這是本可以讓國小低中年級學生輕鬆學習《弟子規》的書，透過親子共讀的設計，使小朋友養成良好的品德。

每一篇故事都對應《弟子規》的內容，能從有趣的故事知道《弟子規》的道理，還能學會重要又簡單的字。

在書的最後有主角小饅頭貼紙，當小朋友完成任務後，請大人幫忙貼上作為鼓勵！

目錄

我是松松，
我最愛吃松果。

我是果果，
我最喜歡的人
是松松哥哥。

人ㄖㄣˊ物ㄨˋ介ㄐㄧㄝˋ紹ㄕㄠˋ

我ㄨㄛˇ是ㄕˋ喵ㄇㄧㄠ喵ㄇㄧㄠ，
我ㄨㄛˇ喜ㄒㄧˇ歡ㄏㄨㄢ看ㄎㄢˋ書ㄕㄨ。

我ㄨㄛˇ是ㄕˋ咪ㄇㄧ咪ㄇㄧ，
我ㄨㄛˇ喜ㄒㄧˇ歡ㄏㄨㄢ照ㄓㄠˋ相ㄒㄧㄤˋ。

我是菲菲，
我熱愛飛翔。

我是莉莉，
我喜歡穿美麗的裙子。

人物介紹

我是鼓鼓，
我每天
準時起床。

我是點點，
我最喜歡
我的點點眉毛。

我的目標

★ 能養成良好的生活習慣。

★ 能維持衣服與環境整潔。

★ 能了解飲食均衡的重要。

暑假到了。
媽媽依然像平常上學一樣，
在晚上八點叫松松和果果
回房間準備睡覺。

松松一回到房間，便把今天媽媽洗好放在床上的衣服摺好、放回衣櫃，接著整理書桌、擦櫃子、掃地、拖地，最後鋪好自己的床，看完一本故事書後，準時在九點上床睡覺。

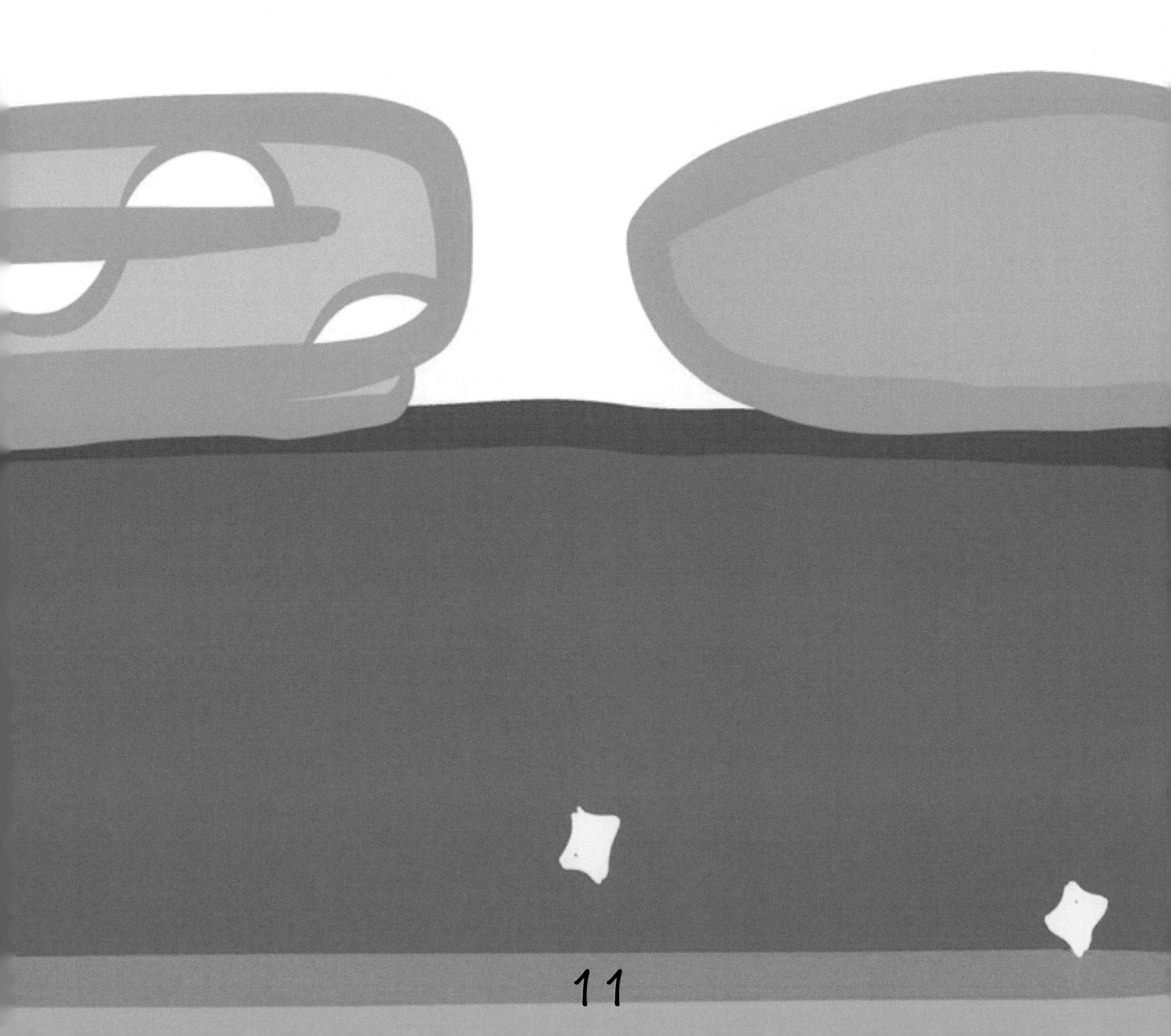

果果一回到房間，想著今天是暑假第一天，和平常一樣早睡太可惜了。當然要玩遍所有的玩具和看完十本漫畫再睡覺！

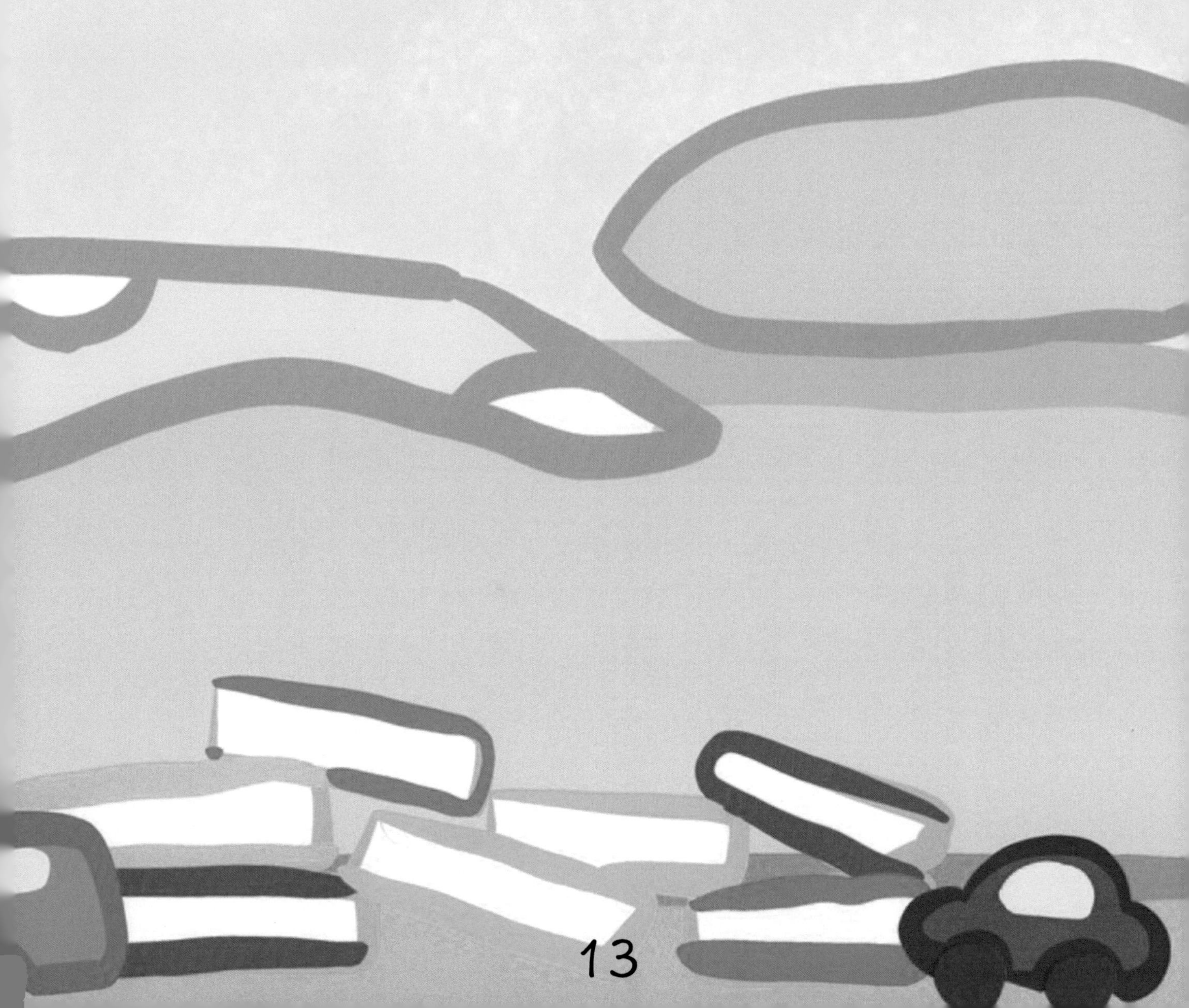

早上七點，松松已經
刷好牙，穿好衣服，
坐在餐桌吃早餐了，
但果果卻一直沒出現。

媽媽敲了果果的房門，叫他起床，但都沒有人回應。

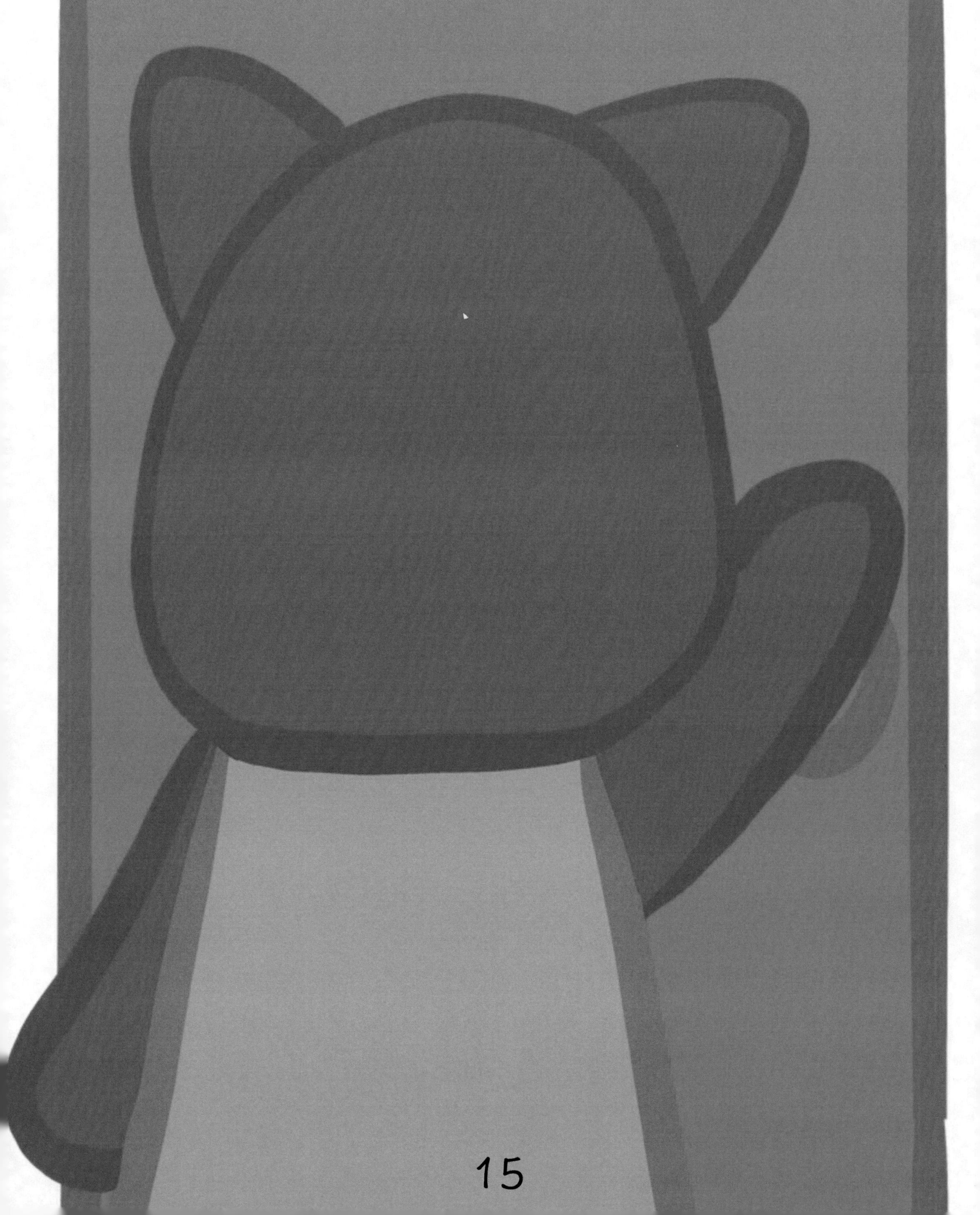

媽媽開門，發現果果在睡覺，便趕快叫醒他：果果！果果！已經七點十分了！你怎麼還沒起床，我們八點要到火車站，快起床！再不起床你就自己留在家裡，我、爸爸和哥哥去郊遊！

果果忘記今天全家要一起去郊遊。嚇得滾下床，衝去廁所，卻不到一分鐘就跑出來。

廁所

媽媽發現他的臉和手
都是乾的，生氣的說：
上完廁所要洗手，早上
起床也要刷牙，都要升
二年級了，還要媽媽幫
你刷牙嗎？還不快去！

果果為了要找到他心愛的恐龍衣服，就亂翻衣服。房間到處都是衣服，還有昨天沒收好的玩具和半夜看的漫畫書。

媽媽氣炸了！因為果果太晚起床，早餐只剩下蔬菜蛋餅，但是果果只喜歡吃肉，不喜歡吃菜。

果果難過的說：我不要吃。

沒吃早餐的果果在火車上肚子餓得咕嚕咕嚕叫，而松松睡了一個好覺。
到了海邊後也沒有商店，果果只好繼續餓肚子。

看著哥哥興奮的玩水、
玩沙，果果已經餓到沒有
力氣玩，只好坐在沙灘上。

媽媽看見果果傷心的樣子，
拿出了早上的蔬菜蛋餅，
再問他一次：要不要吃？

果果開心的接過蛋餅，吃完後發現其實蔬菜也很好吃。

我會《弟子規》

朝起早，夜眠遲；

老易至，惜此時。

晨必盥，兼漱口；

便溺回，輒淨手。

冠必正，紐必結；

襪與履，俱緊切。

什麼意思？

生活作息要規律，早睡早起，不浪費時間。注意衛生習慣，起床後先刷牙、洗臉，上完廁所後要洗手，吃飯前也要先洗手。

注意服裝儀容，衣服穿整齊並維持整潔；家裡更要維持乾淨；東西用完，隨時放回原本的地方，要用的時候才找得到。

我會《弟子規》

置冠服，有定位；

勿亂頓，致污穢。

衣貴潔，不貴華；

上循分，下稱家。

對飲食，勿揀擇；

食適可，勿過則。

什麼意思？

依照地點和活動選擇適合的衣服，不追求名牌；買衣服要考慮價錢，不增加父母的負擔。

吃飯要注重營養均衡，不能挑食，也不能一次吃太多或太少，這樣才有健康的身體。

猜猜看這是什麼字？

請從下方選出最像的字卡，擺入第35頁和第39頁的空格中。

ㄌㄠˇ	ㄗˇ	ㄕㄡˇ
ㄕˊ	ㄧㄡˇ	ㄎㄡˇ
ㄗㄠˇ	ㄓㄥˋ	ㄏㄨㄟˊ

字卡在第125頁，剪下來使用。

我是大偵探

請剪下第125頁的字，看看哪個字最像下面的圖，擺到格子裡。

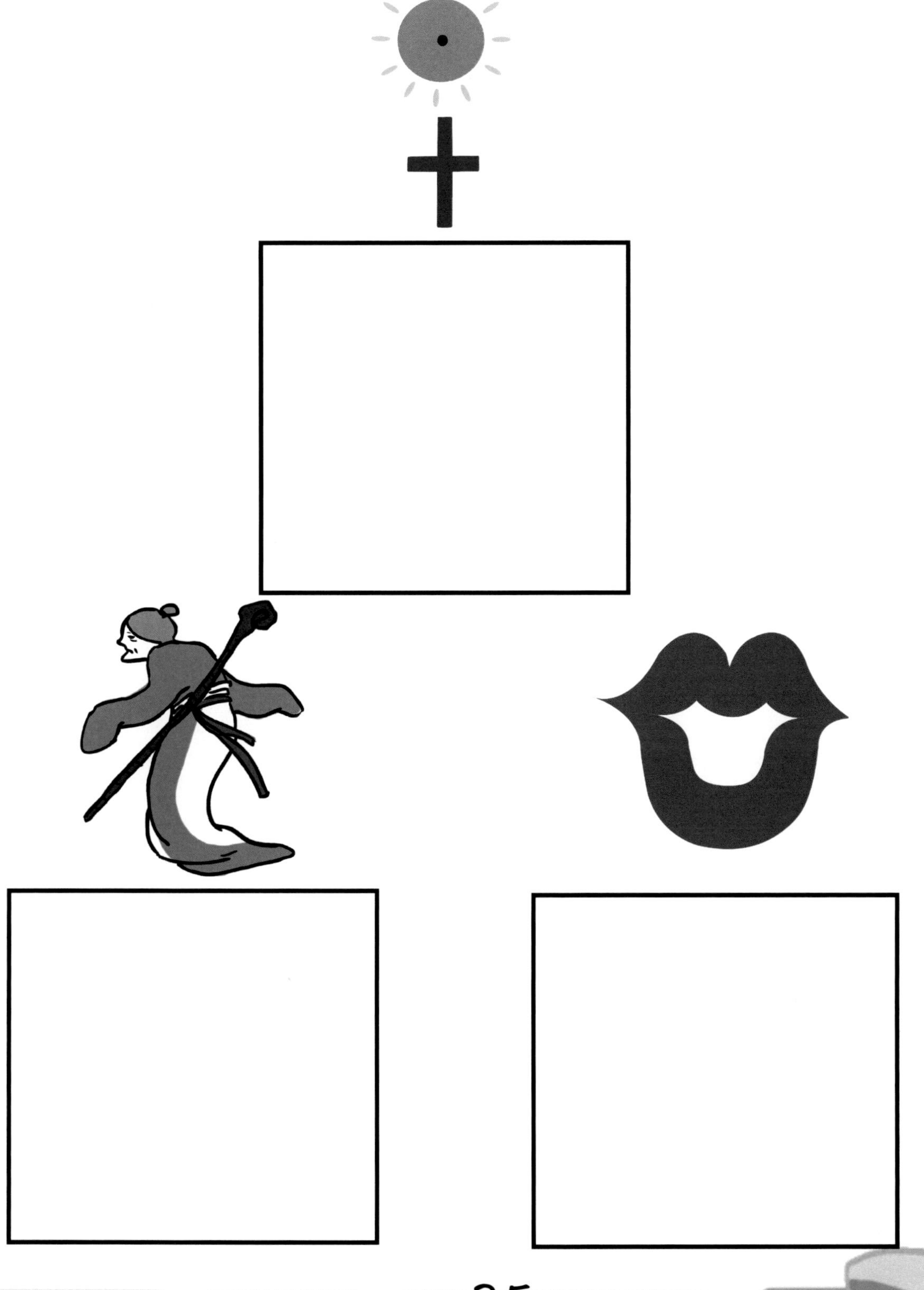

我ㄨㄛˇ會ㄏㄨㄟˋ寫ㄒㄧㄝˇ國ㄍㄨㄛˊ字ㄗˋ

先ㄒㄧㄢ描ㄇㄧㄠˊ三ㄙㄢ次ㄘˋ，再ㄗㄞˋ寫ㄒㄧㄝˇ三ㄙㄢ次ㄘˋ。

早ㄗㄠˇ	早ㄗㄠˇ	早ㄗㄠˇ
老ㄌㄠˇ	老ㄌㄠˇ	老ㄌㄠˇ
口ㄎㄡˇ	口ㄎㄡˇ	口ㄎㄡˇ

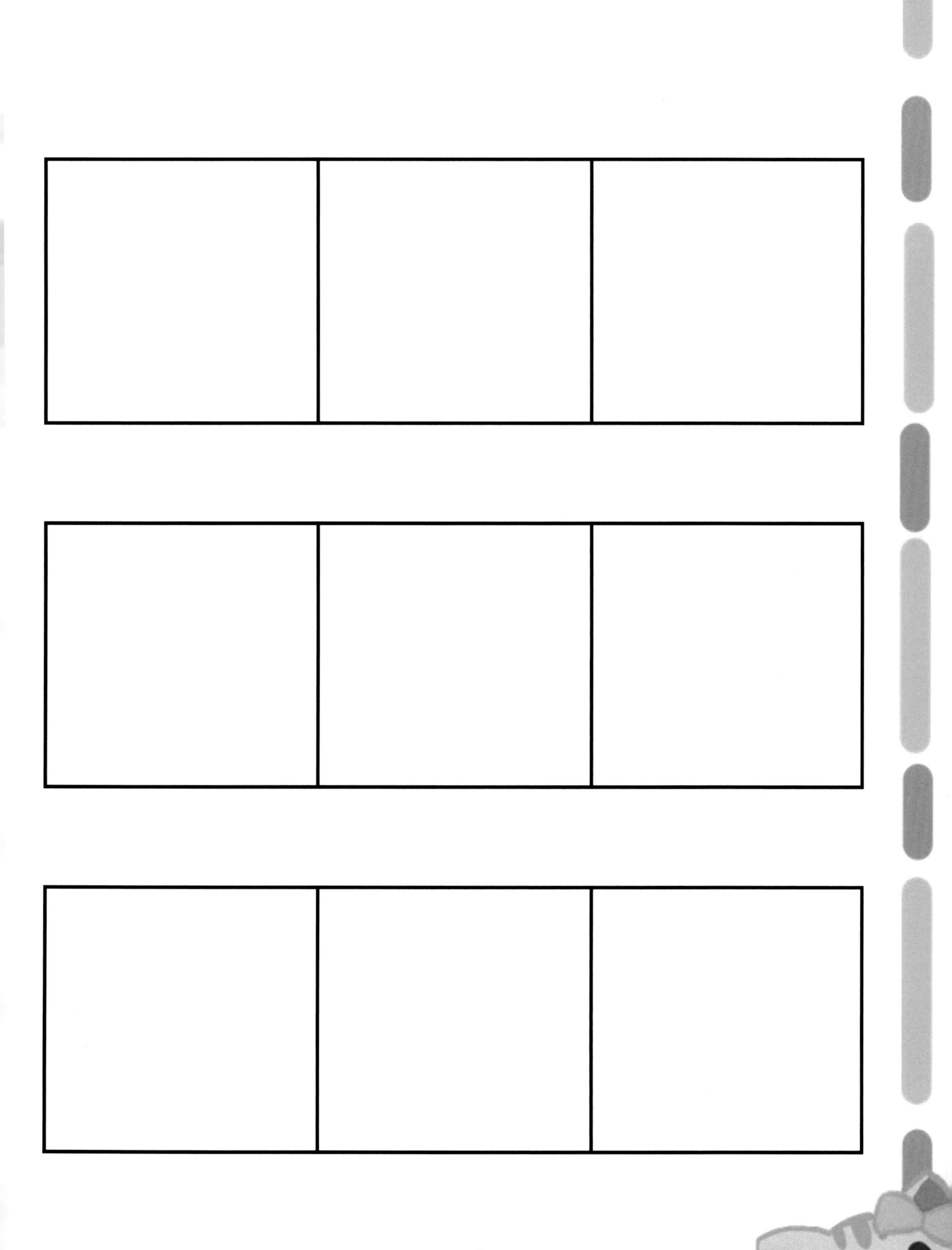

我認識國字

解釋：像一個太陽掛在十字架上面，代表早上。

詞語：早上、早晨

解釋：像老人家雙手張開，腰帶上繫著一根長拐杖的駝背站姿。

詞語：老人、老師

解釋：像一個張開的嘴巴，代表嘴巴。

詞語：口紅、門口

我是大偵探

請剪下第125頁的字，看看哪個字最像下面的圖，擺到格子裡。

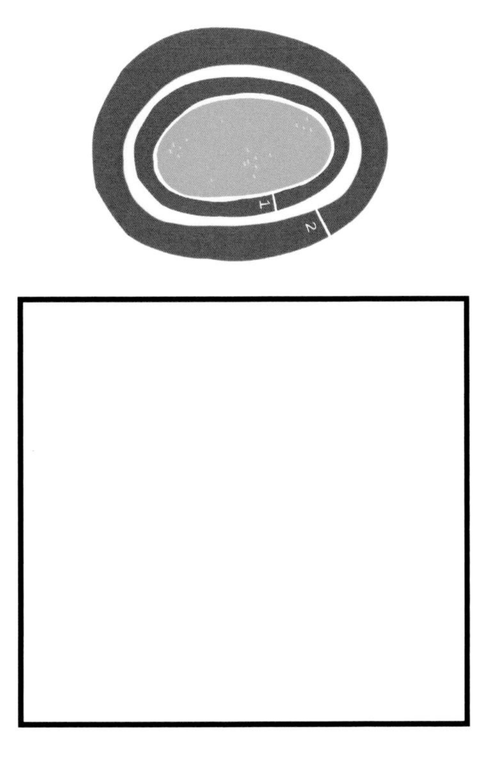

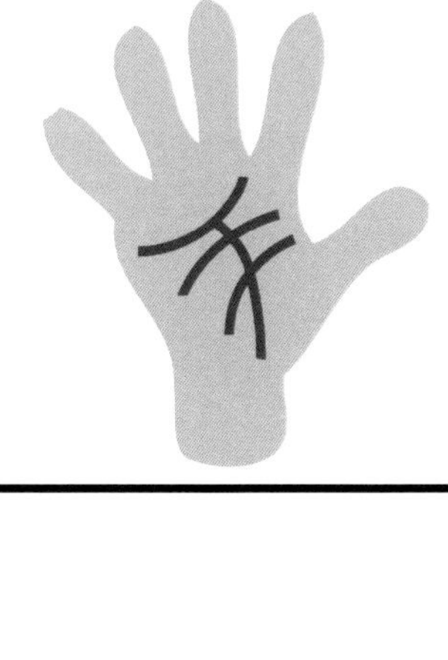

我ㄨㄛˇ會ㄏㄨㄟˋ寫ㄒㄧㄝˇ國ㄍㄨㄛˊ字ㄗˋ

先ㄒㄧㄢ描ㄇㄧㄠˊ三ㄙㄢ次ㄘˋ，再ㄗㄞˋ寫ㄒㄧㄝˇ三ㄙㄢ次ㄘˋ。

回ㄏㄨㄟˊ	回ㄏㄨㄟˊ	回ㄏㄨㄟˊ
手ㄕㄡˇ	手ㄕㄡˇ	手ㄕㄡˇ
正ㄓㄥˋ	正ㄓㄥˋ	正ㄓㄥˋ

我認識國字

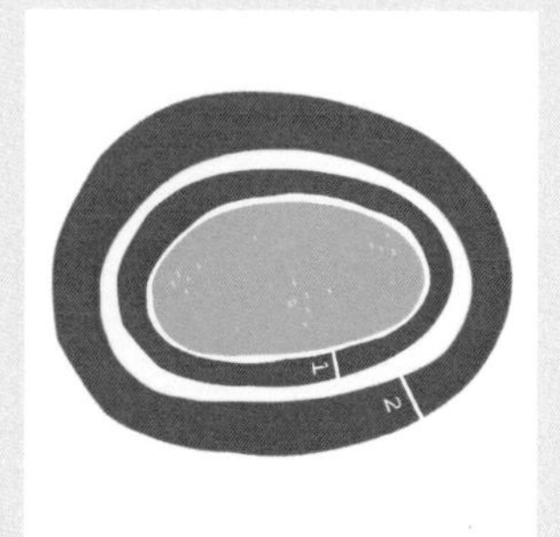

解釋：像操場跑道的樣子，跑了一圈又會回到原點。

詞語：回去、回來

解釋：像手掌的紋路。

詞語：手指、手機

解釋：一看到紅燈就馬上停止，立正站好。

詞語：正在、立正

國字演變圖

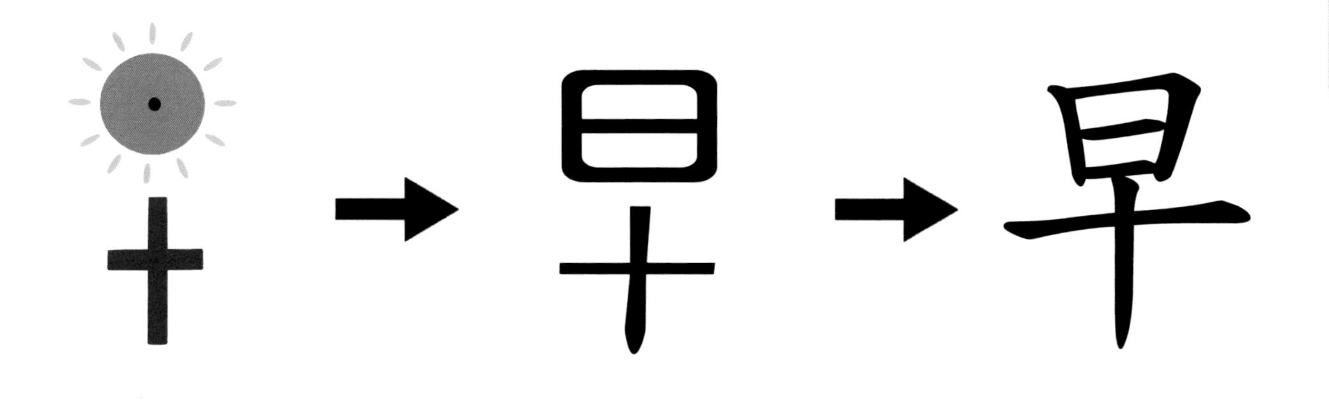

→ 老 → 老

→ 口

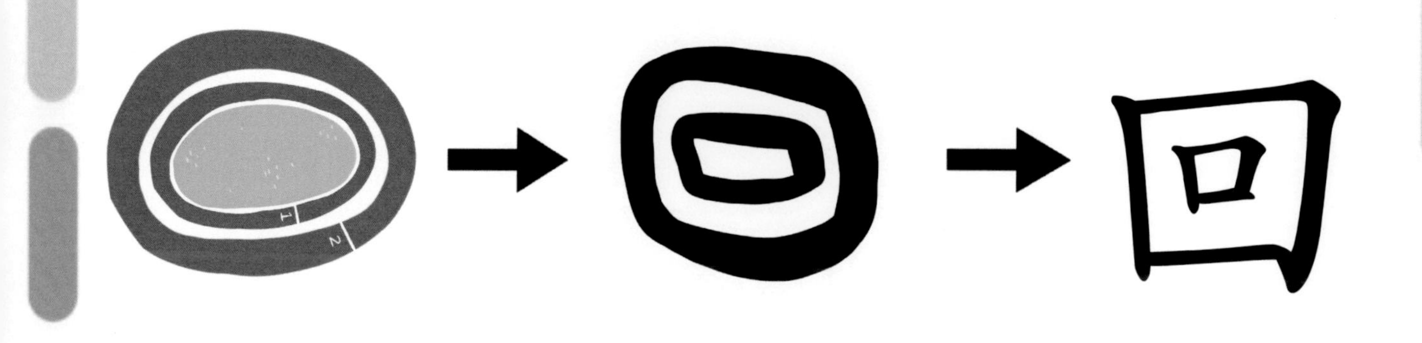

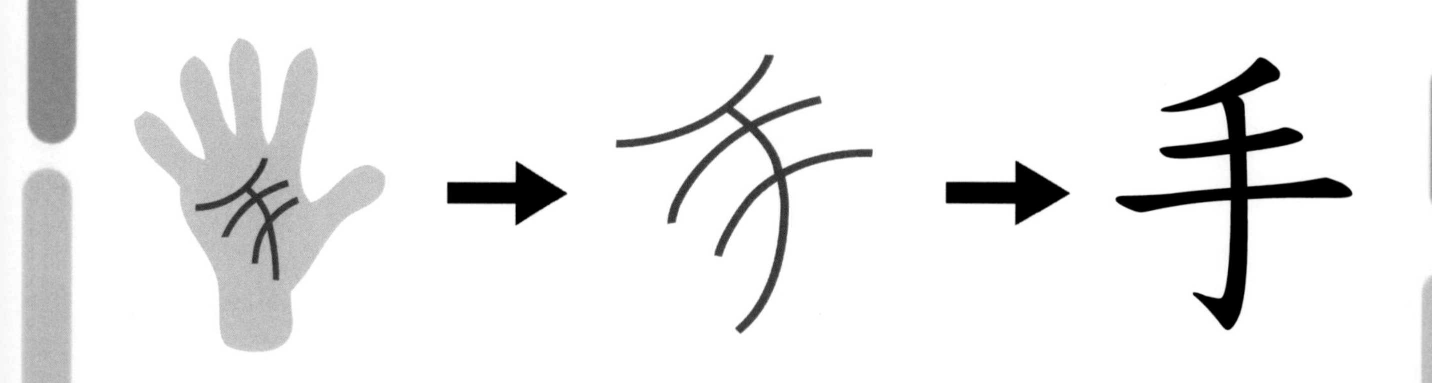

正

我可以做到！

完成任務可以請爸爸媽媽在空格處貼上小饅頭貼紙。

早睡早起。	
起床後先刷牙、洗臉。	
上完廁所後會洗手，吃飯前也會先洗手。	
衣服穿整齊並維持乾淨。	
幫忙整理家裡、做家事。	
東西用完，隨時放回原本的地方。	
吃飯注重營養均衡，不挑食。	

貼紙在第128頁。

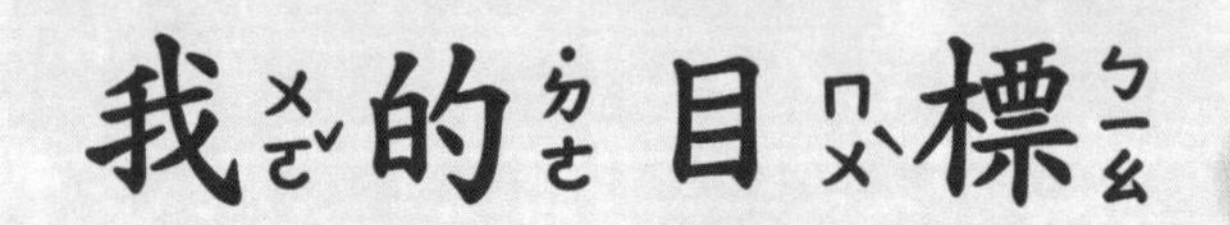

★ 能認真、細心的做事。

★ 能小心走路、不在室內奔跑。

★ 能知道當主人與做客時應注意的禮貌。

點點覺得咪咪很漂亮，
像公主一樣，非常喜歡她。

媽媽：咪咪的媽媽今天要
來我們家做蛋糕，
咪咪也會來，你要
好好跟她相處喔。

叮咚叮咚。

點點：咪咪來了！

叮咚—叮咚

點點的媽媽：你看咪咪乖乖的站在媽媽旁邊，你要多多向咪咪學習，不要每次都像蟲一樣的扭來扭去，也不要隨便亂跑。

點點的媽媽：　你要去哪裡？

點點：　我要去拿玩具和
咪咪分享。

點點的媽媽大叫：
咪咪都是慢慢的走，
你不要跑來跑去，很危險！

砰！

點點的媽媽緊張的問：怎麼了？

點點：我想請咪咪喝飲料，所以順手又拿了一杯果汁。因為跑太快而撞到桌子，果汁不小心打翻了！

點點的媽媽溫柔的說：做事不要匆匆忙忙，一件一件慢慢來，多走幾趟。

點點的媽媽：哇！咪咪坐姿好端正，都不會駝背。哪像點點，都不能好好坐著，一直動來動去。

阿姨

咪咪的媽媽：
點點也很乖、 很有禮貌，
向我打招呼的時候，
還鞠躬90度呢！ 他是個
好客的好孩子， 熱情的
招待我們。

點點為了不讓咪咪討厭他，下定決心要變得跟咪咪一樣乖巧懂事，不在家裡奔跑，做事細心。

我會《弟子規》

步從容，立端正；
揖深圓，拜恭敬。
勿踐閾，勿跛倚；
勿箕踞，勿搖髀。

什麼意思？

任何時候都要謹慎，走路慢慢走；立正站好；坐著的時候雙腿要合起來，也不可以抖腳；鞠躬要彎腰，才能表達誠意；進門不要踩門檻，才不會讓人覺得沒禮貌。

我會《弟子規》

緩揭簾，勿有聲；

寬轉彎，勿觸棱。

執虛器，如執盈；

入虛室，如有人。

事勿忙，忙多錯；

勿畏難，勿輕略。

什麼意思？

做事要細心，進入房間時，開門輕一點；掀開門簾時，也要小力一點。走到轉角，要放慢速度，才不會撞到。

手上拿東西時，要更小心，注意安全。進到沒有人的房間時，要跟裡面有人一樣，不隨便亂看、亂摸。

做事慢慢來，不要急，也不能隨便做，才不會出錯。

猜猜看這是什麼字？

請從下方選出最像的字卡，擺入第71頁和第75頁的空格中。

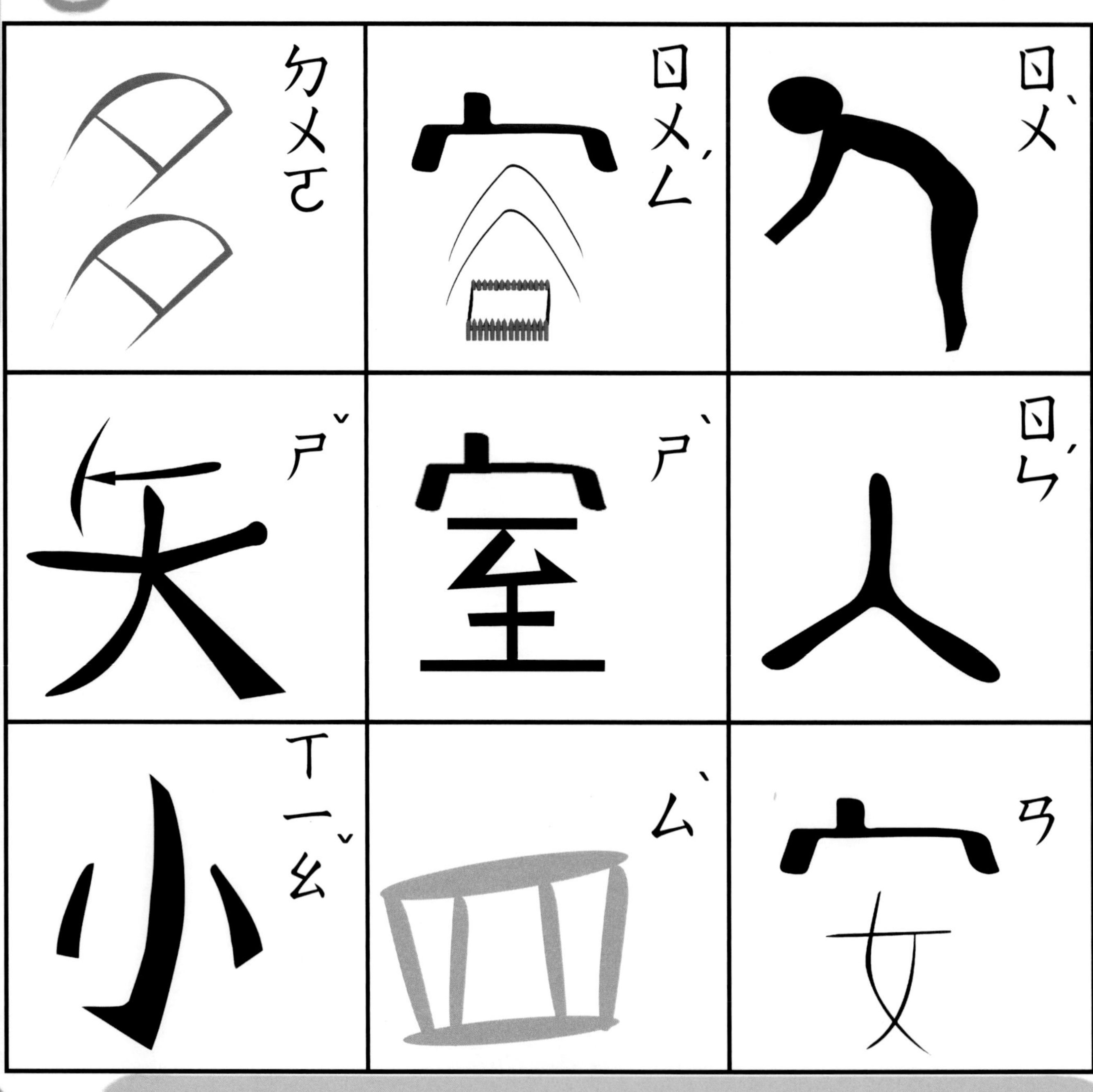

字卡在第126頁，剪下來使用。

我是大偵探

請剪下第126頁的字，看看哪個字最像下面的圖，擺到格子裡。

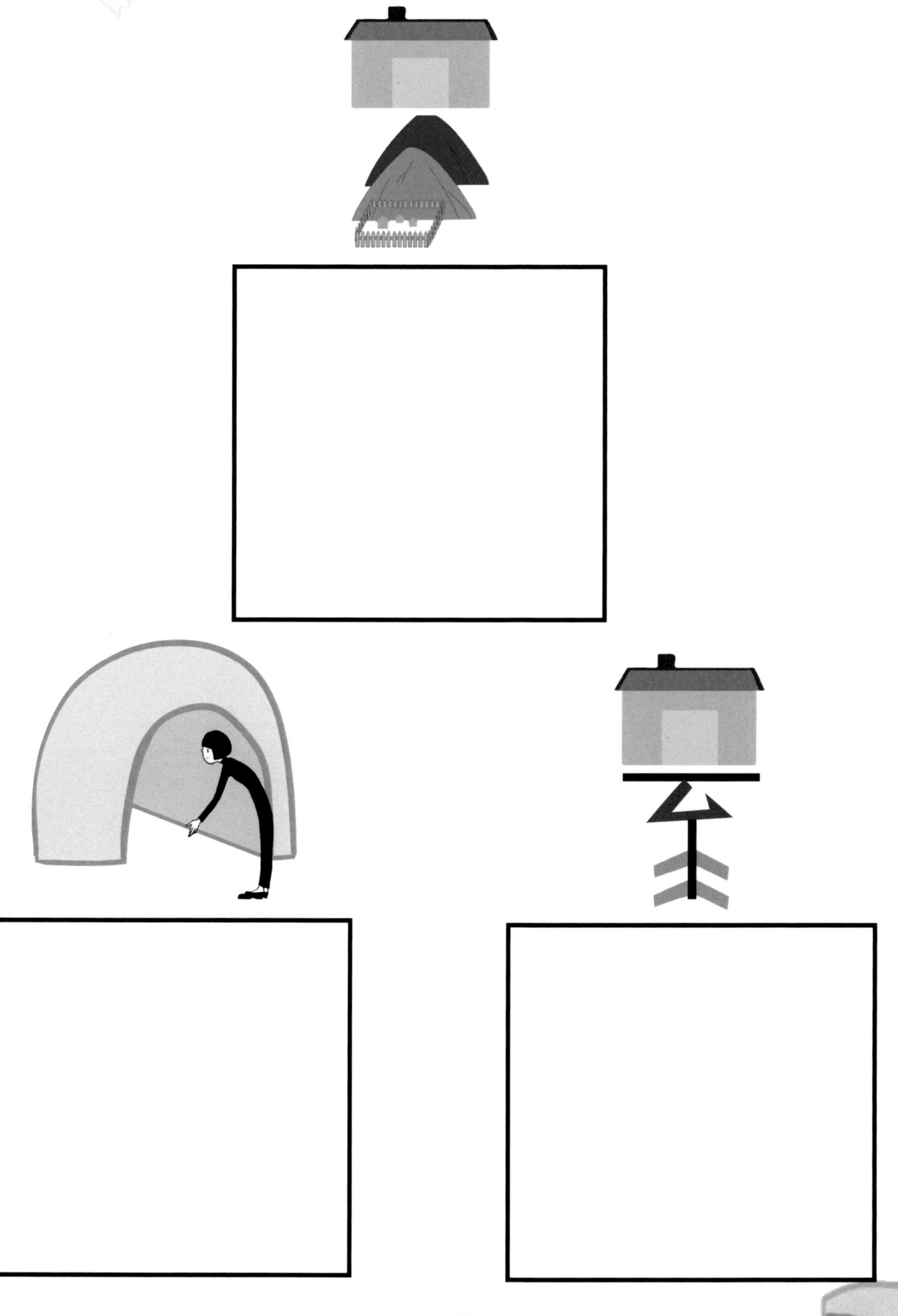

我ㄨㄛˇ會ㄏㄨㄟˋ寫ㄒㄧㄝˇ國ㄍㄨㄛˊ字ㄗˋ

先ㄒㄧㄢ描ㄇㄧㄠˊ三ㄙㄢ次ㄘˋ，再ㄗㄞˋ寫ㄒㄧㄝˇ三ㄙㄢ次ㄘˋ。

容ㄖㄨㄥˊ	容ㄖㄨㄥˊ	容ㄖㄨㄥˊ

入ㄖㄨˋ	入ㄖㄨˋ	入ㄖㄨˋ

室ㄕˋ	室ㄕˋ	室ㄕˋ

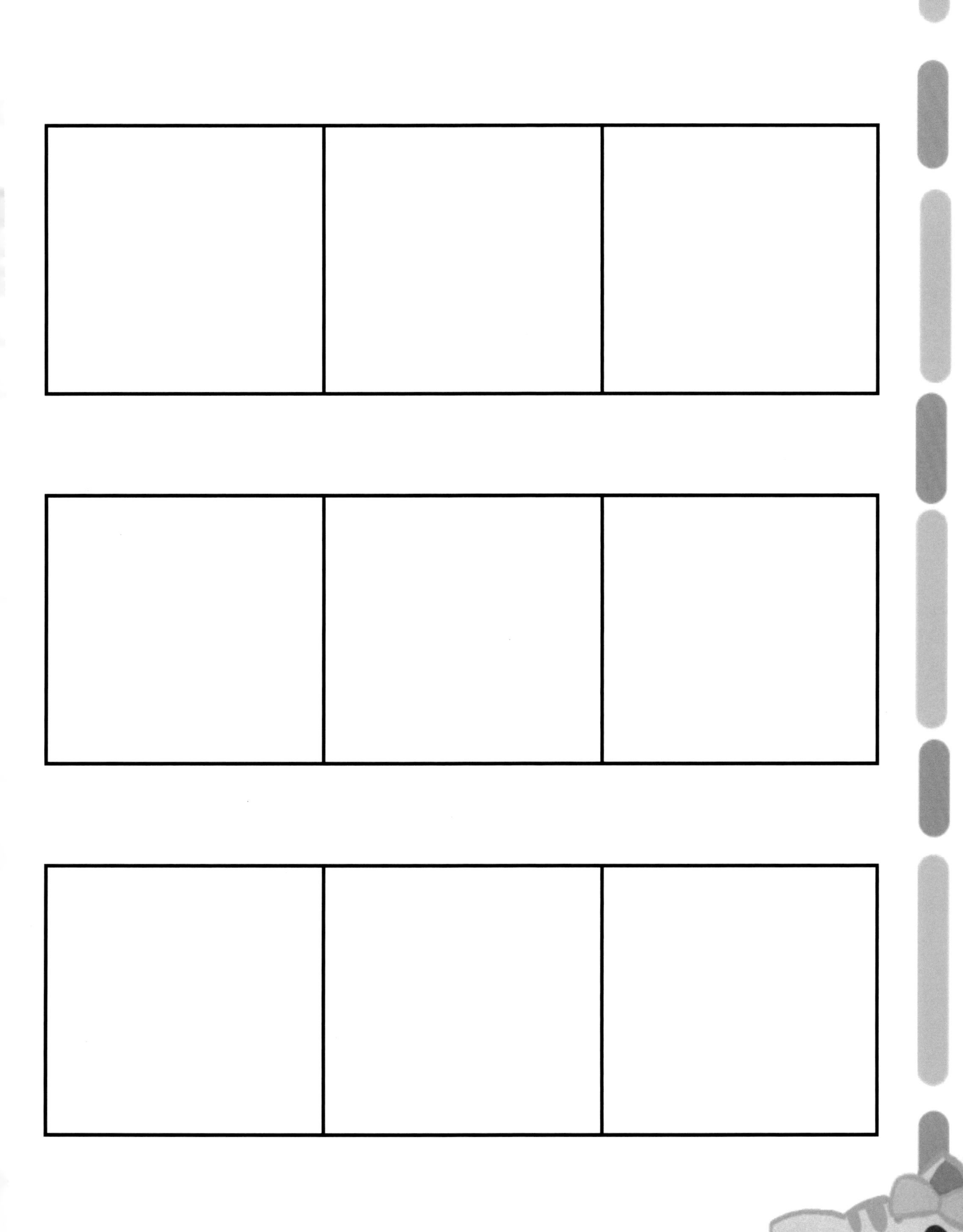

我認識國字

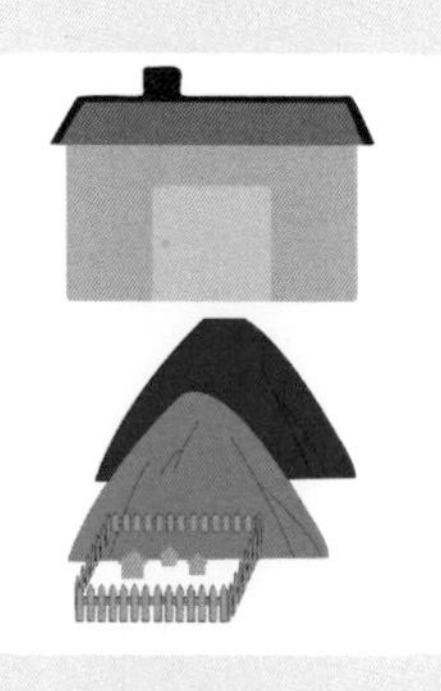

解釋：要用屋頂蓋住山谷很不容易。

詞語：容易、面容

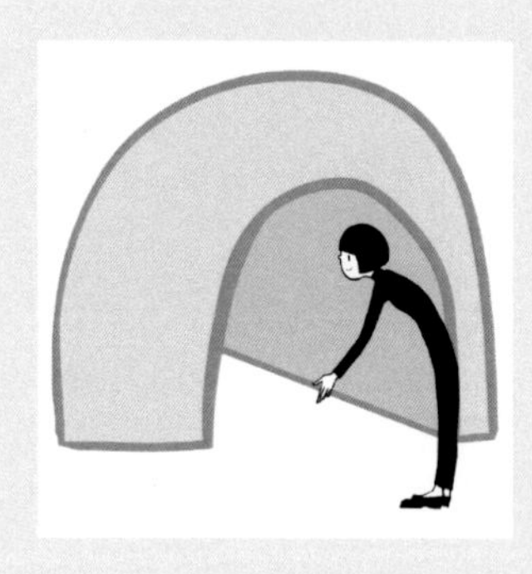

解釋：一個人彎著身體要進入洞內的樣子。

詞語：入口、收入

解釋：屋頂底下箭頭指的地方是室內。

詞語：教室、室內

我是大偵探

請剪下第126頁的字，看看哪個字最像下面的圖，擺到格子裡。

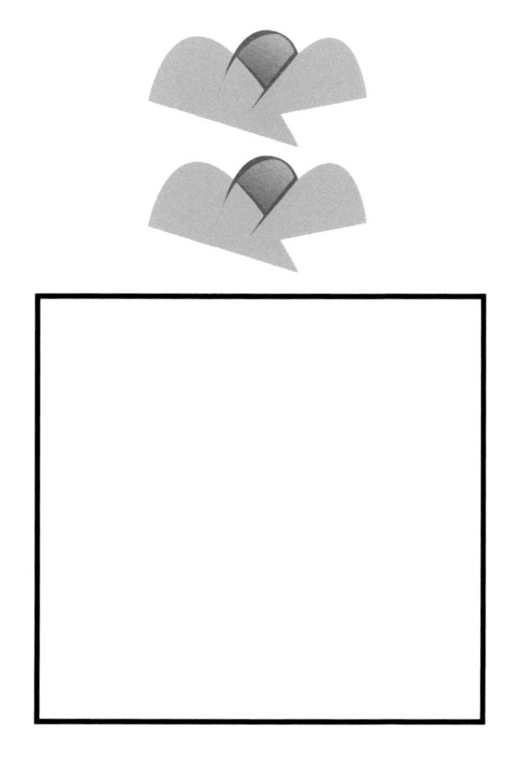

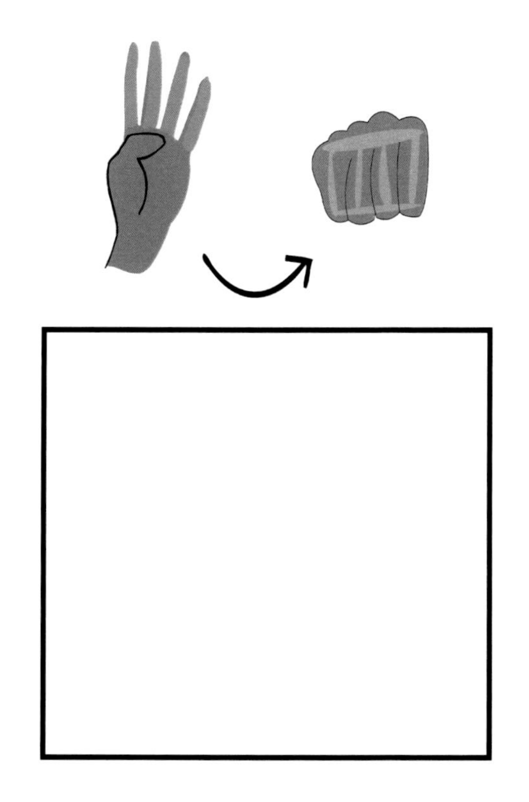

我ㄨㄛˇ會ㄏㄨㄟˋ寫ㄒㄧㄝˇ國ㄍㄨㄛˊ字ㄗˋ

先ㄒㄧㄢ描ㄇㄧㄠˊ三ㄙㄢ次ㄘˋ，再ㄗㄞˋ寫ㄒㄧㄝˇ三ㄙㄢ次ㄘˋ。

多 ㄉㄨㄛ	多 ㄉㄨㄛ	多 ㄉㄨㄛ

四 ㄙˋ	四 ㄙˋ	四 ㄙˋ

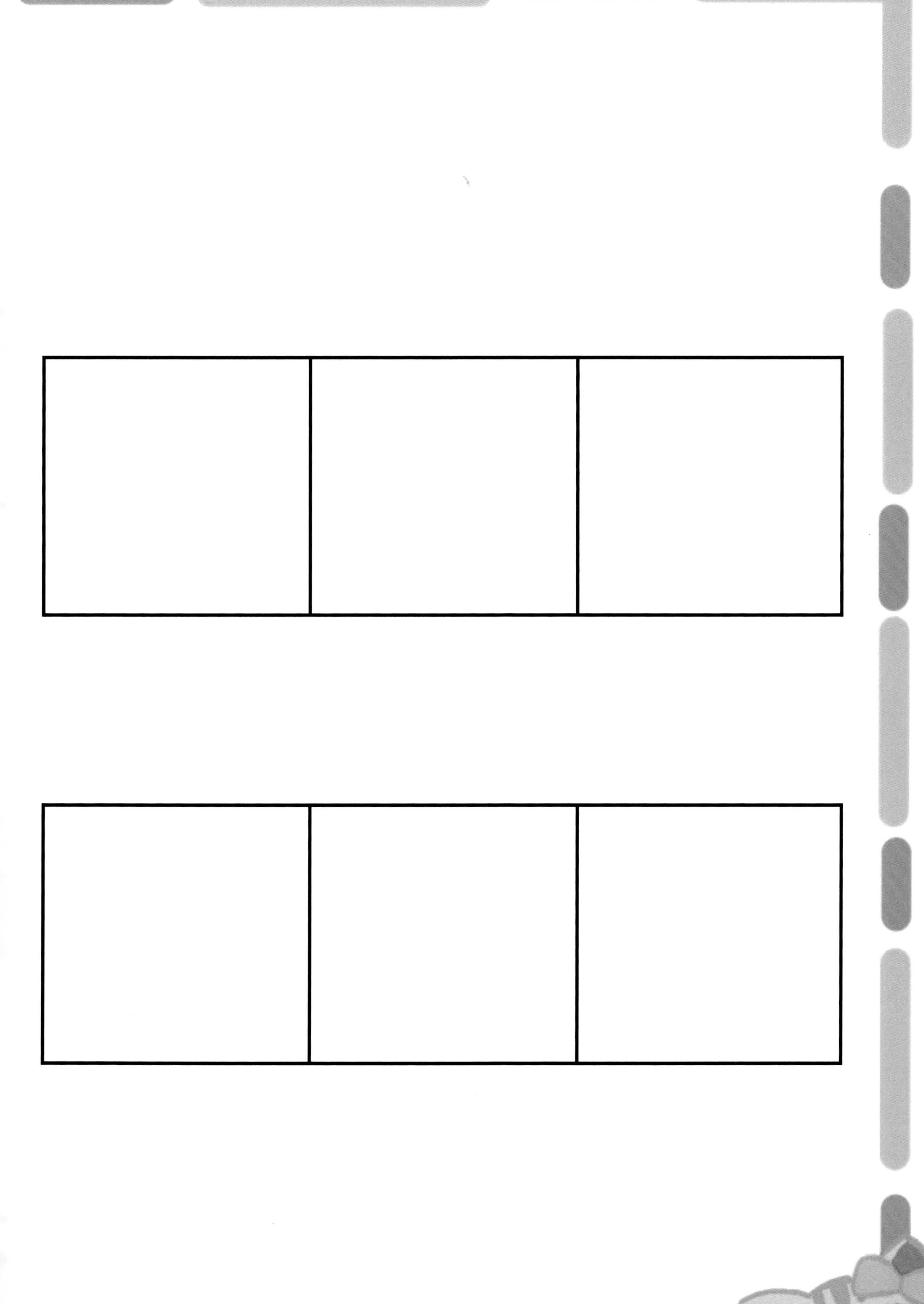

我認識國字

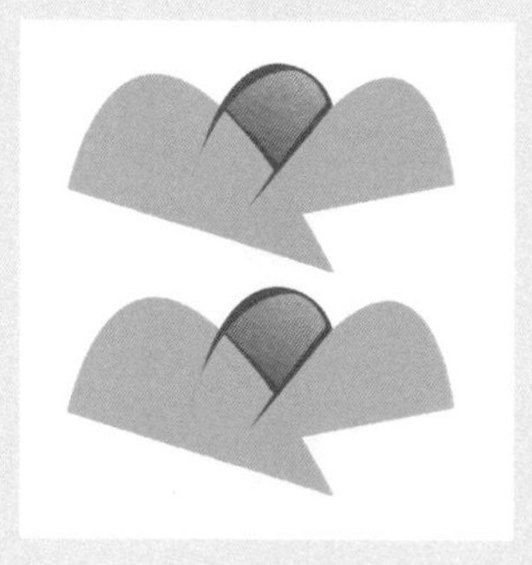

解釋：很多人在傍晚的時候去看夕陽。

詞語：許多、很多

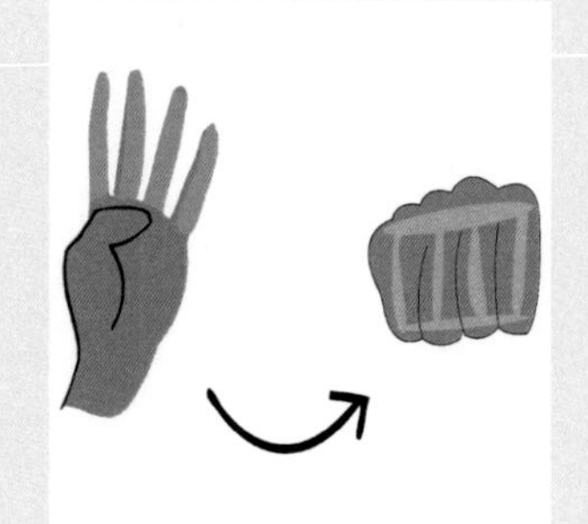

解釋：像伸出四隻手指，之後收起手指並握緊拳頭的正面四隻指頭。

詞語：四面（牆）

國字演變圖

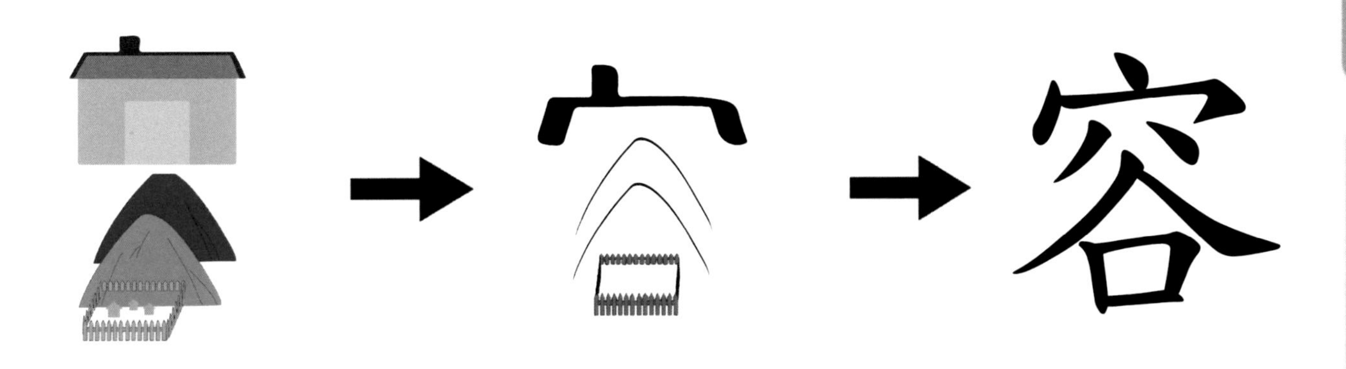

→ 入

→ 室 → 室

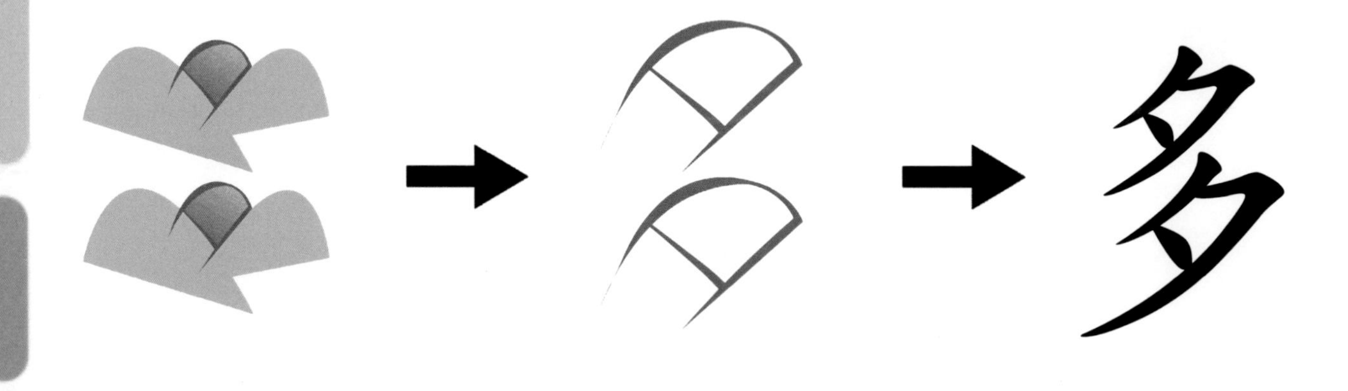
多

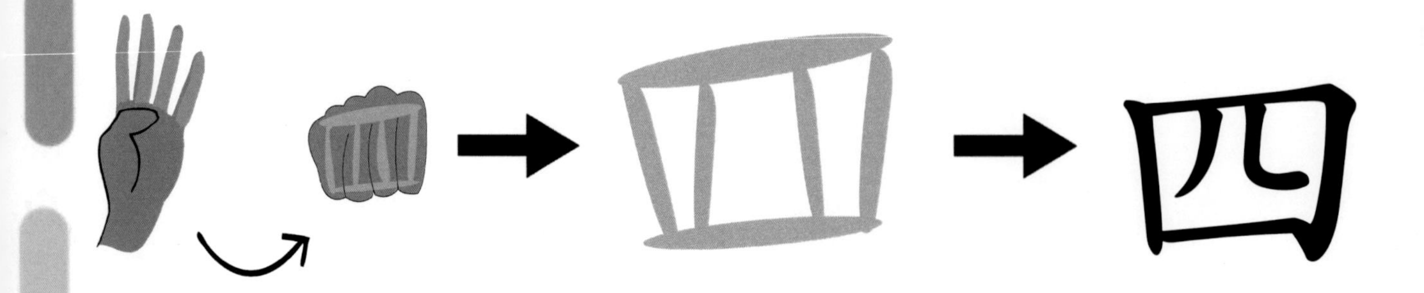
四

我可以做到！

完成任務可以請爸爸媽媽在空格處貼上小饅頭貼紙。

做事細心、認真，不著急。	
走路慢慢走，到轉角時放慢速度。	
開門、關門、掀開門簾時，小力一點。	
站著的時候站直；坐著的時候雙腿合起來，不抖腳。	
鞠躬時彎腰，表達誠意。	
進別人房間時，不隨便亂看、亂摸。	
進門沒有踩門檻。	

貼紙在第128頁。

足球不見了

我的目標

★ 能養成向人借東西時，應有的禮貌與態度。

★ 能在討論中尊重他人的意見。

★ 能團結合作、共同參與並分工合作。

今天天氣真好！

點點： 我們來踢足球！

大家： 好啊！

踢著踢著，喵喵不小心把球踢太遠！

菲菲：沒關係，我飛去看看球掉在哪裡，大家也一起幫忙找找吧！

點點突然大叫：
我發現一間神祕的房子，
以前都沒看過！

大家聽見聲音，都跑過來。

松松：大家快看！球掉在池塘裡！

菲菲：可是水很深，我們要怎麼把球撿回來？

點點：我游過去撿。

喵喵：不行，水太深了，很危險，我們再想想其他辦法。

松松：　這裡有魚網，我們可以用它來撈球。

菲菲：　那我們拿來用吧！

喵喵：　不行，隨便拿別人的
　　　　東西，就像小偷一樣；
　　　　我去問問能不能借吧！

叩ㄎㄡˋ叩ㄎㄡˋ叩ㄎㄡˋ！

喵喵：　請問有人在家嗎？

沒有人回應。

松松大叫：門沒有鎖！

喵喵生氣的說：
松松！怎麼可以隨便
打開別人家的門！

松松緊張的說：
是鼓鼓開的，他已經
跑進去了！

爺爺：啊！你是誰？
嚇我一跳！

鼓鼓：　我是鼓鼓，對不起嚇到您了！因為剛剛敲門沒有回應，門也沒鎖，我就走進來了。我想跟您借魚網，我們的球掉到水池裡了。

爺爺親切的說：我可以借你們，但是一定要還我喔！記得「有借有還，再借不難。」

經過大家的努力，
球終於撿回來了。

謝謝!!

鼓鼓： 爺爺謝謝您！

爺爺： 你們真乖，知道借東西要先問，但是下次不能隨便闖進別人家喔！而且要先說我是誰，站在門口等主人開門。

我會《弟子規》

將入門，　問孰存；
將上堂，　聲必揚。
人問誰，　對以名；
吾與我，　不分明。

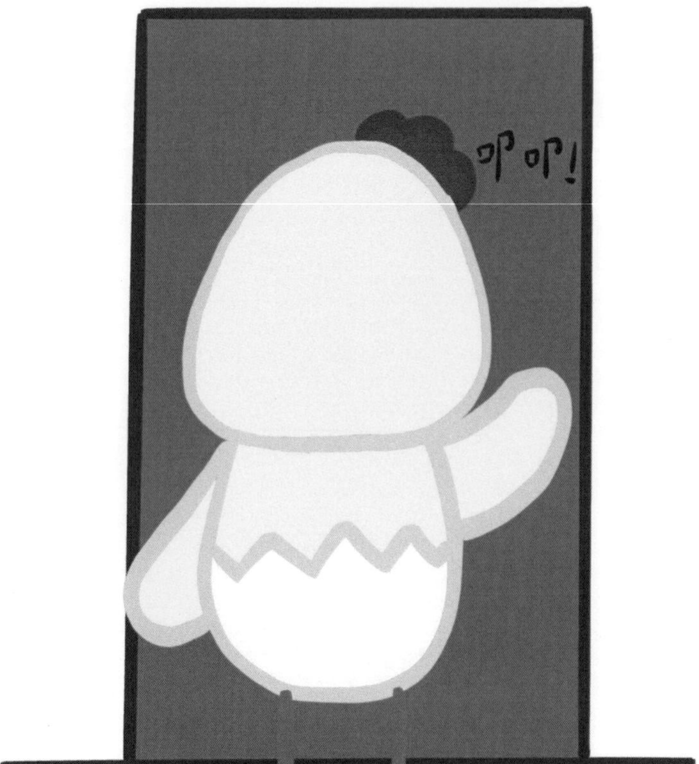

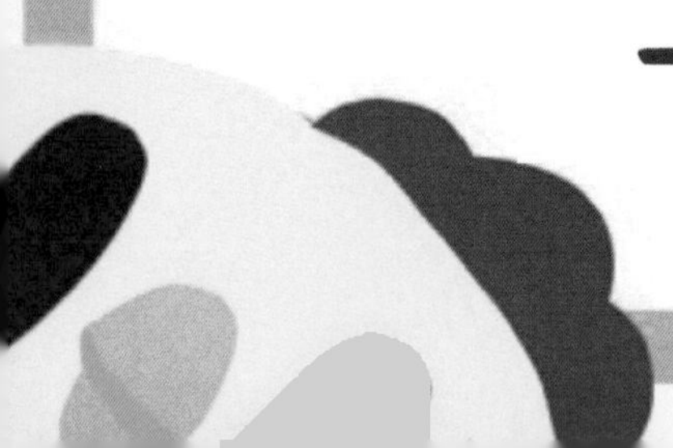

什麼意思？

進入別人的房子前，
應該先敲敲門問：
「有人在家嗎？」
先打完招呼再進門，
才不會嚇到人。如果
有人問：「你是誰？」
要馬上回答自己的
姓名。

我會《弟子規》

用人物，須明求；
倘不問，即為偷。
借人物，及時還；
後有急，借不難。

什麼意思？

想要跟別人借東西時，一定要得到別人的同意，如果沒有得到別人的同意就拿走，這種行為跟小偷一樣。

借用的東西使用完畢要馬上歸還，做一個守信用的人，這樣下次需要借東西時，別人才會願意借給我們。

猜猜看這是什麼字？

請從下方選出最像的字卡，擺入第109頁和第113頁的空格中。

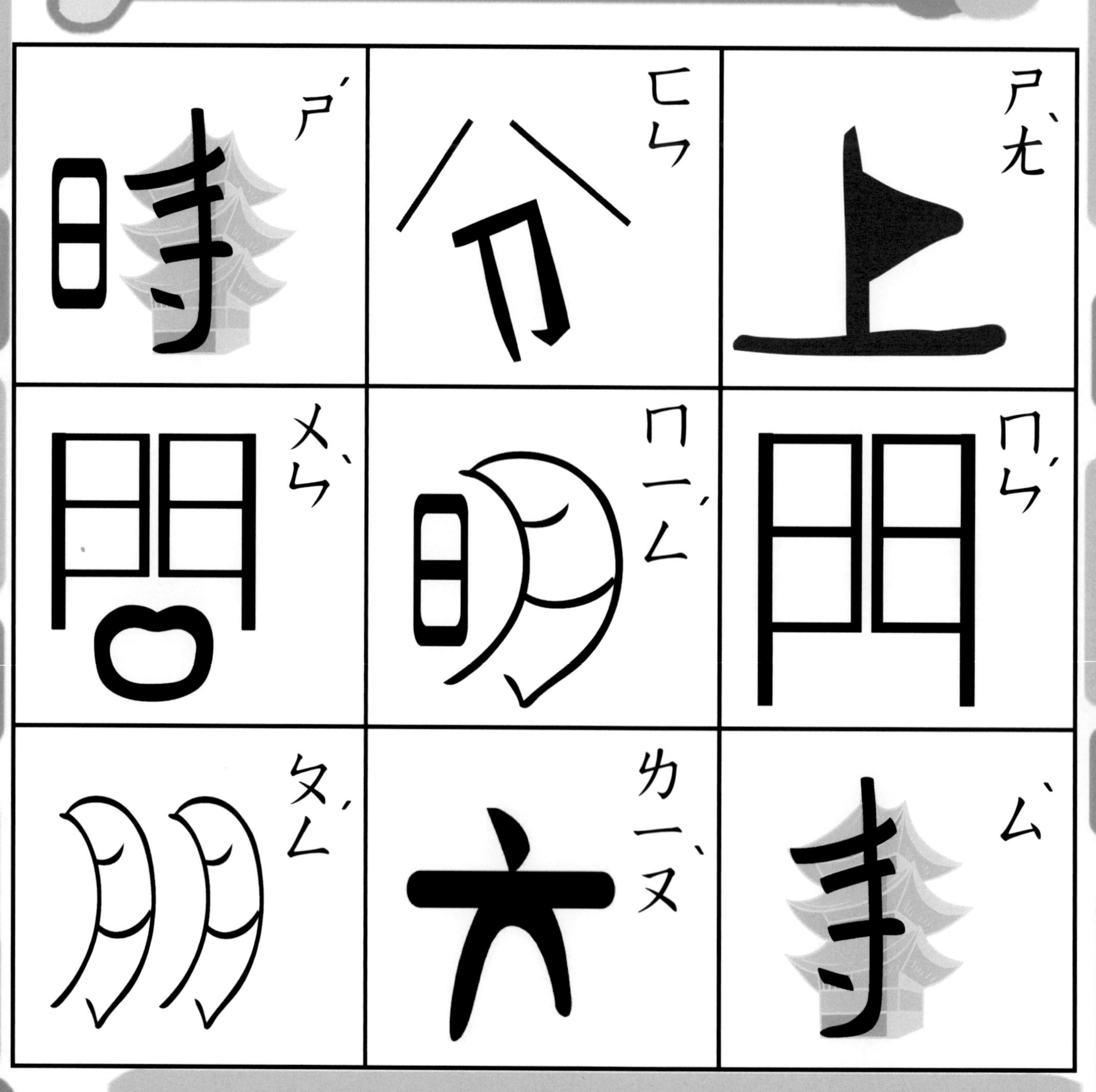

字卡在第127頁，剪下來使用。

我是大偵探

請剪下第127頁的字，看看哪個字最像下面的圖，擺到格子裡。

我ㄨㄛˇ會ㄏㄨㄟˋ寫ㄒㄧㄝˇ國ㄍㄨㄛˊ字ㄗˋ

先ㄒㄧㄢ描ㄇㄧㄠˊ三ㄙㄢ次ㄘˋ，再ㄗㄞˋ寫ㄒㄧㄝˇ三ㄙㄢ次ㄘˋ。

上 ㄕㄤˋ	上 ㄕㄤˋ	上 ㄕㄤˋ
分 ㄈㄣ	分 ㄈㄣ	分 ㄈㄣ
食 ㄕˊ	食 ㄕˊ	食 ㄕˊ

我認識國字

解釋：像一面插在地上的旗子，表示上面的意思。

詞語：上課、上面

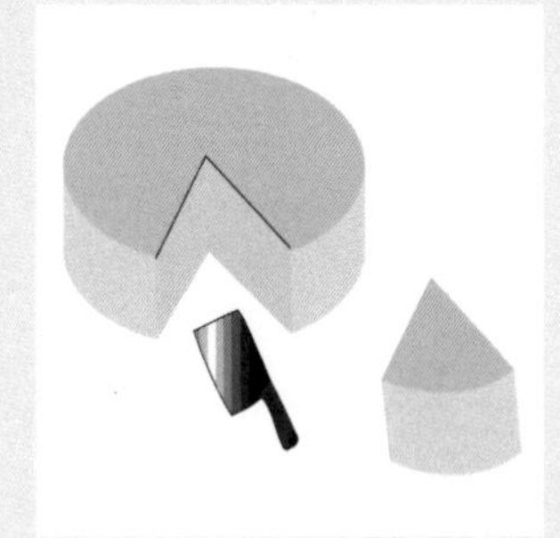

解釋：像蛋糕用刀子切開，缺少了一塊的樣子。

詞語：分開、分數

解釋：平日中午時，寺廟都會傳出鐘聲。

詞語：時間、準時

我是大偵探

請剪下第127頁的字，看看哪個字最像下面的圖，擺到格子裡。

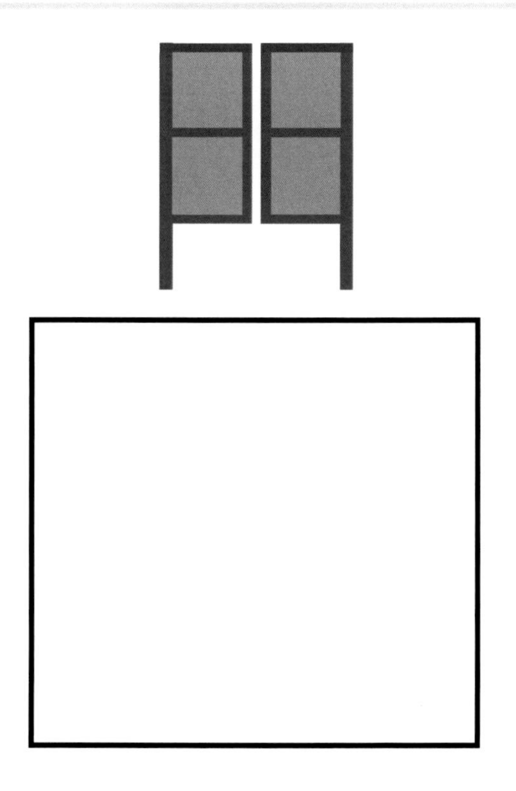

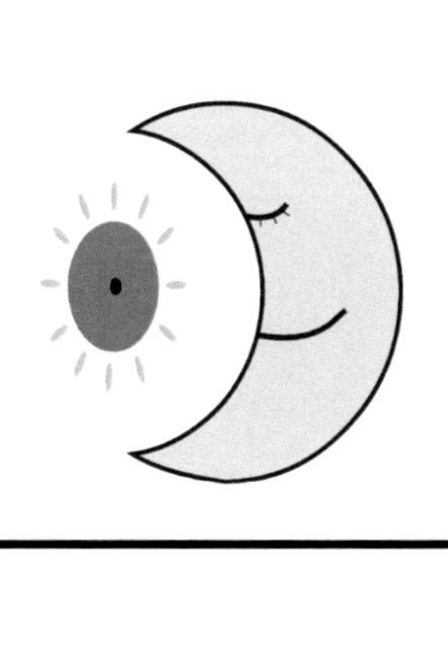

我ㄨㄛˇ會ㄏㄨㄟˋ寫ㄒㄧㄝˇ國ㄍㄨㄛˊ字ㄗˋ

先ㄒㄧㄢ描ㄇㄧㄠˊ三ㄙㄢ次ㄘˋ，再ㄗㄞˋ寫ㄒㄧㄝˇ三ㄙㄢ次ㄘˋ。

門ㄇㄣˊ	門ㄇㄣˊ	門ㄇㄣˊ
問ㄨㄣˋ	問ㄨㄣˋ	問ㄨㄣˋ
明ㄇㄧㄥˊ	明ㄇㄧㄥˊ	明ㄇㄧㄥˊ

我認識國字

解釋：左右對開的門。

詞語：門口、門票

解釋：有人在門口，開口想問事情。

詞語：問題、問句

解釋：太陽跟月亮都是亮亮的，它們放在一起就會更明亮。

詞語：明亮、明天

國字演變圖

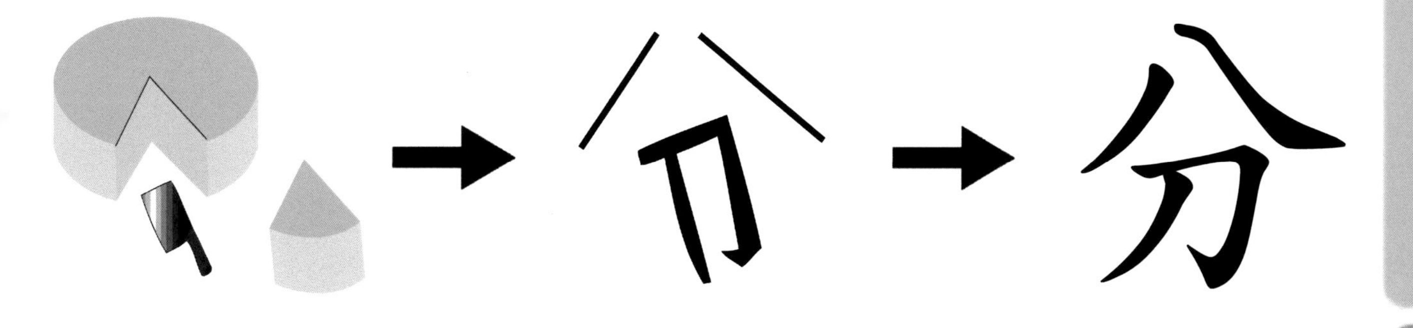

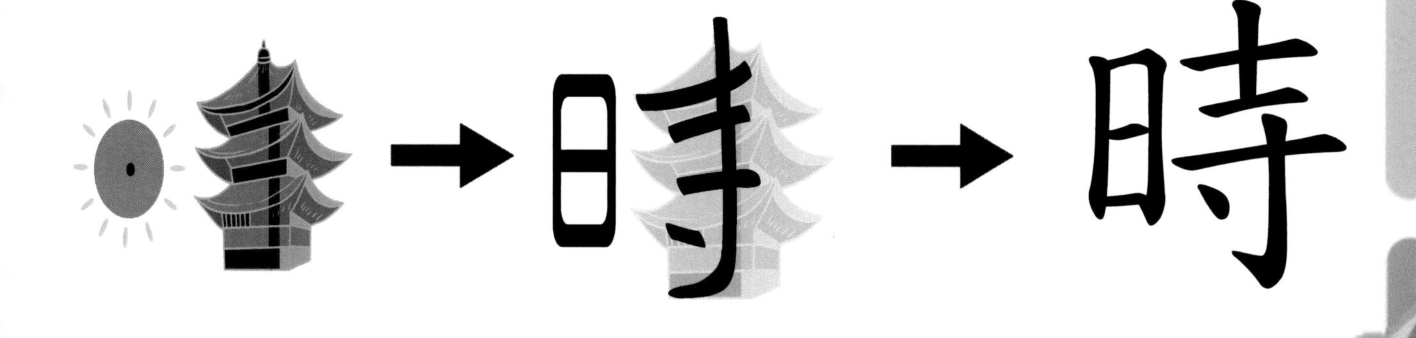

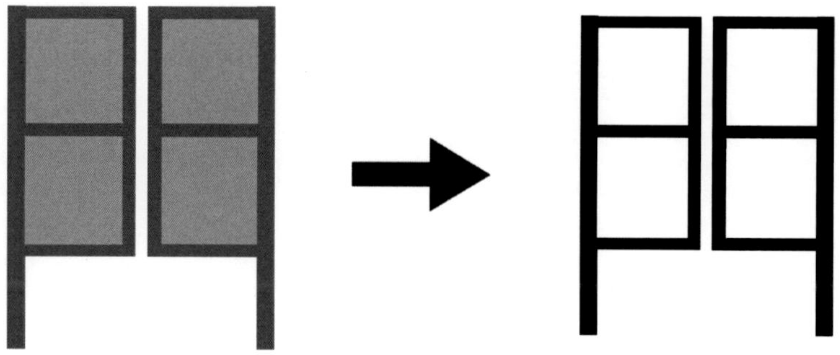

門 → 門

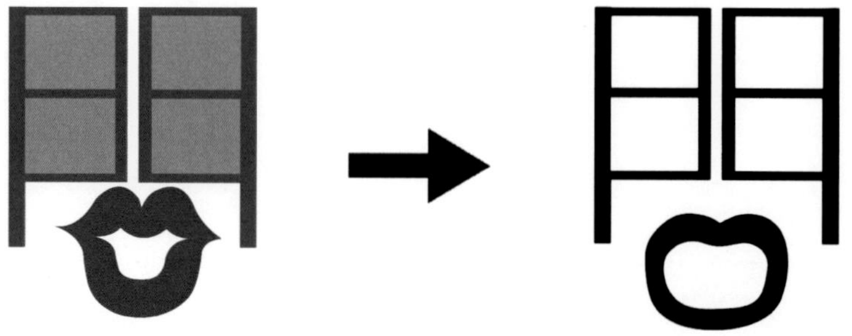

問 → 問

明 → 明

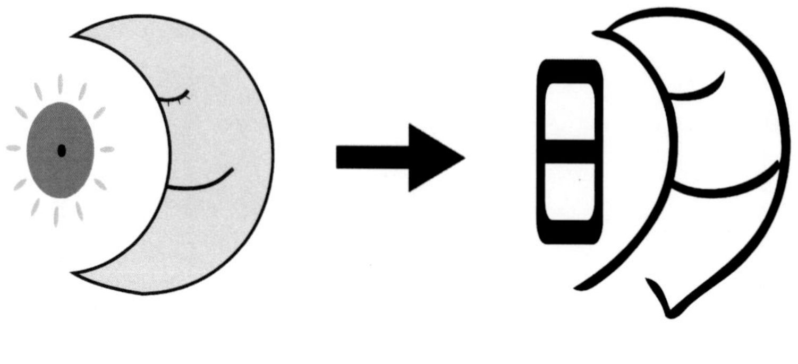

我可以做到！

完成任務可以請爸爸媽媽在空格處貼上小饅頭貼紙。

在進入別人家之前，先敲敲門問：「有人在家嗎？」	
當別人問你是誰時，馬上回答名字。	
借東西前，先問過對方。	
借用的東西使用完，馬上還。	
愛惜向別人借用的東西。	
主動借東西給需要的人。	

貼紙在第128頁。

給ㄍㄟˇ爸ㄅㄚˋ媽ㄇㄚ˙的ㄉㄜ˙話ㄏㄨㄚˋ

本書為親子共讀書籍，親子共讀能增進孩子的語文理解及親子關係。爸媽可運用交互教學法的四個策略：(1)預測、(2)澄清、(3)提問、(4)摘要，幫助孩子建立閱讀學習鷹架。

在開始閱讀故事之前，爸媽先帶領孩子進行「封面預測」，透過書名與圖片預測故事內容；在閱讀故事的同時，爸媽適時停下腳步，讓孩子「預測」後面的故事發展，以提升孩子的閱讀動機。當孩子遇到閱讀困難時，「澄清」很重要，爸媽引導孩子透過上下文意或插圖來推測正確的意思，或請孩子查字典找答案。讀完故事後，爸媽請孩子「提問」，此時孩子會努力的反覆閱讀文本，找出可詢問的問題，爸媽可引導孩子使用5W1H1♥ (who, when, where, what, why, how, 心情)來提問，藉此促進對文意的了解。

Who：「有哪些人物?」

When：「發生在什麼時候?」

Where：「在什麼地方?」

What：「發生了什麼事?」

Why：「原因是什麼?」

How：「如何處理?」

心情：「人物的心情如何？」

最後，爸媽引導孩子試著「摘要」文本內容，用自己的話說出大意，以檢視孩子是否能理解文本重點。

透過本書的《弟子規》品德故事，孩子能夠在快樂閱讀的同時，學會《弟子規》的重要內涵。本書結合「鍵接圖識字教學策略」，從《弟子規》中挑選重要且簡單的字，並加入生活常用字。使文字圖像化，讓孩子透過可愛且有趣的圖片來學習國字，以提升孩子學習國字的興趣及識字量。本書搭配自我檢核表（我可以做到），孩子若達成，爸媽可協助貼上書末的貼紙，以茲鼓勵。

在共讀的過程中，爸媽非以上對下的方式帶領，而是成為孩子的「學習夥伴」，在閱讀的過程中不斷的與孩子對話並給予鼓勵與讚美；一同學習與討論，彼此分享想法，且接納對方不同的想法；藉此提升孩子的溝通能力、建立緊密的親子關係。

本冊建議之問題討論：

1. 什麼是良好的生活習慣？
2. 如何維持良好的生活習慣？
3. 如何讓衣服或環境保持整潔？
4. 如何達成均衡飲食（如：每天要吃什麼）？
5. 六大類食物是什麼？
6. 去別人家做客要注意哪些事？
7. 如果發現自己上學忘了帶筆，要怎麼辦？
8. 和朋友或同學討論的時候，要注意什麼？
9. 參與團體活動的時候怎麼做比較好？

《弟子規》放大鏡

〈謹〉

朝起早，夜眠遲；

老易至，惜此時。

晨必盥，兼漱口；

便溺回，輒淨手。

冠必正，紐必結；

襪與履，俱緊切。

置冠服，有定位；

勿亂頓，致污穢。

衣貴潔，不貴華；

上循分，下稱家。

對飲食，勿揀擇；

食適可，勿過則。

步從容，立端正；

揖深圓，拜恭敬。

勿踐閾，勿跛倚；

勿箕踞，勿搖髀。

緩揭簾，勿有聲；

寬轉彎，勿觸棱。

執虛器，如執盈；

入虛室，如有人。

事勿忙，忙多錯；

勿畏難，勿輕略。

《弟子規》
放大鏡

將入門，問孰存；

將上堂，聲必揚。

人問誰，對以名；

吾與我，不分明。

用人物，須明求；

倘不問，即為偷。

借人物，及時還；

後有急，借不難。

附件

文字字卡

搭配第34頁「猜猜看這是什麼字？」使用。

請沿黑線剪下。

老 ㄌㄠˇ	子 ㄗˇ	手 ㄕㄡˇ
石 ㄕˊ	友 ㄧㄡˇ	口 ㄎㄡˇ
早 ㄗㄠˇ	正 ㄓㄥˋ	回 ㄏㄨㄟˊ

文字字卡

搭配第70頁「猜猜看這是什麼字？」使用。

請沿黑線剪下。

ㄉㄨㄛ	ㄖㄨㄥˊ	ㄖㄨˋ
ㄕˇ	ㄕˋ	ㄖㄣˊ
ㄒㄧㄠˇ	ㄙˋ	ㄢ

文ㄨㄣˊ字ㄗˋ字ㄗˋ卡ㄎㄚˇ

搭ㄉㄚ配ㄆㄟˋ第ㄉㄧˋ108頁ㄧㄝˋ「猜ㄘㄞ猜ㄘㄞ看ㄎㄢˋ這ㄓㄜˋ是ㄕˋ什ㄕㄣˊ麼ㄇㄜ˙字ㄗˋ？」使ㄕˇ用ㄩㄥˋ。

請ㄑㄧㄥˇ沿ㄧㄢˊ黑ㄏㄟ線ㄒㄧㄢˋ剪ㄐㄧㄢˇ下ㄒㄧㄚˋ。

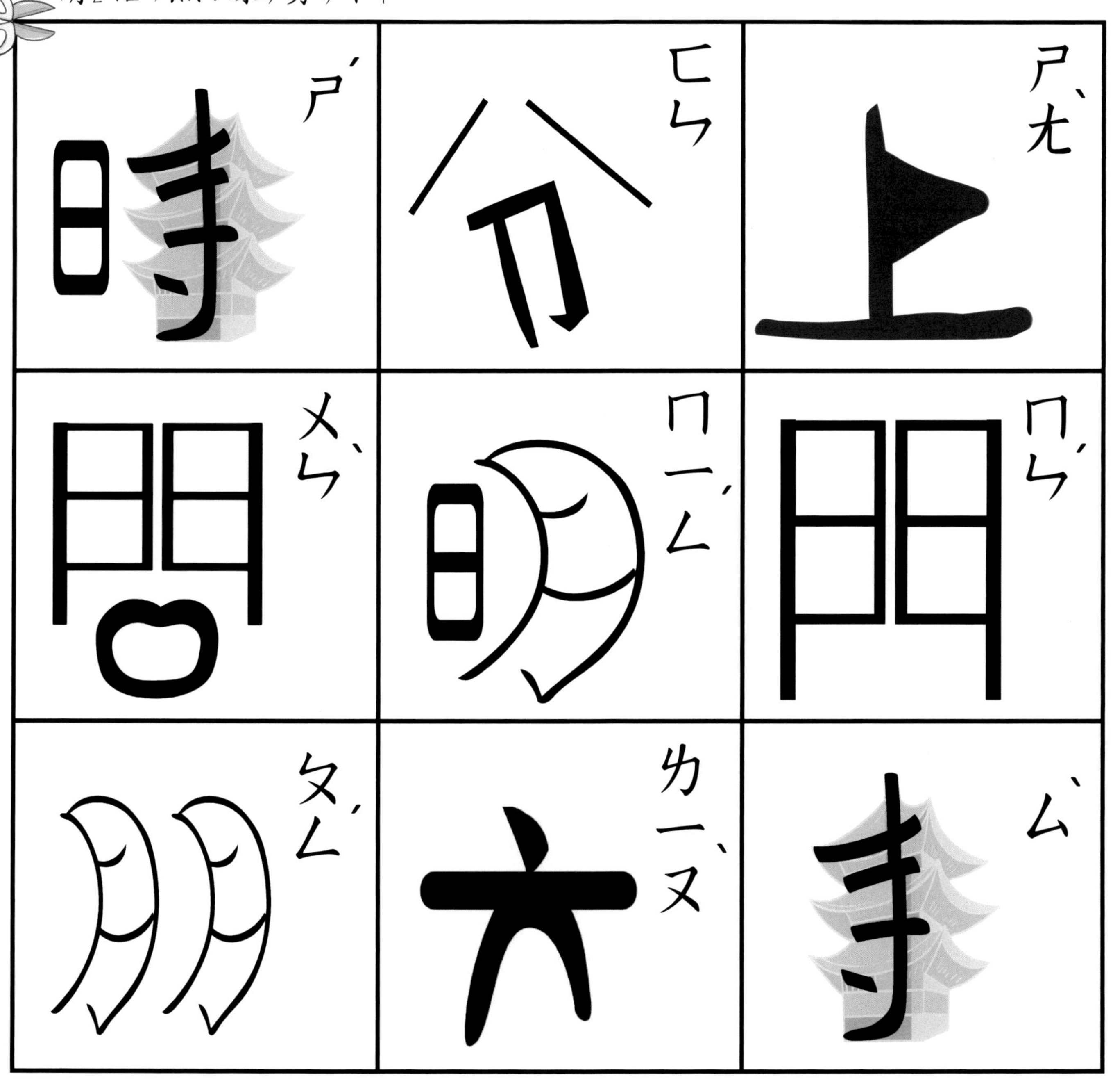

附ㄈㄨˋ件ㄐㄧㄢˋ　小ㄒㄧㄠˇ饅ㄇㄢˊ頭ㄊㄡˊ貼ㄊㄧㄝ紙ㄓˇ

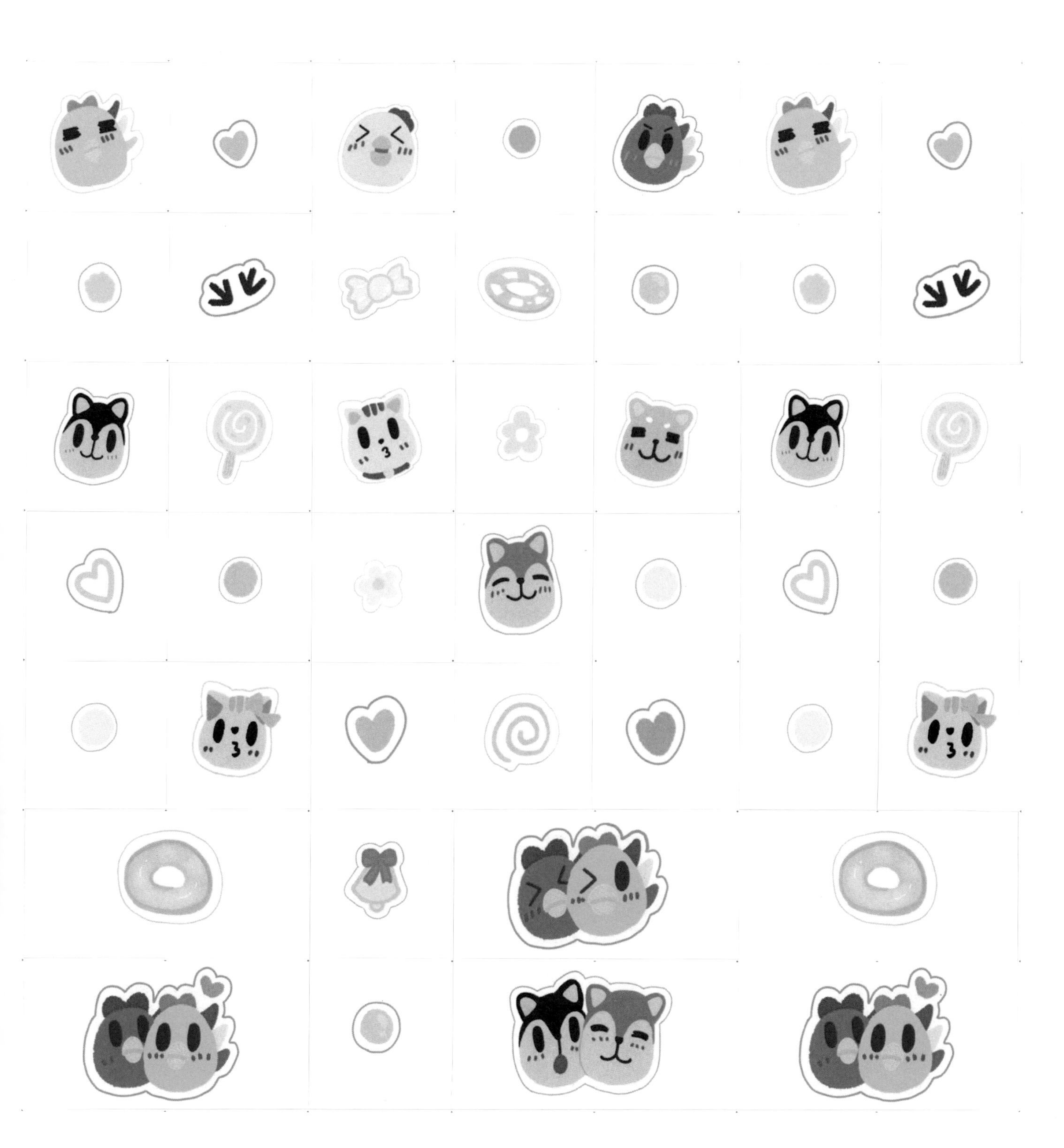